DIE „TRÈS RICHES HEURES" VON JEAN, DUC DE BERRY

JEAN DUFOURNET

Bibliothèque de l'Image

PARKLAND

· E I N L E I T U N G ·

Einzigartiges Meisterwerk der gemalten Handschriften des Mittelalters, rechtfertigen die *Très Riches Heures du Duc de Berry* ihren Titel durch die unglaubliche Menge und die außergewöhnliche Qualität der Miniaturen, Initialen und Rankenornamente, die Pracht von Formen und Farben, sowie die Raffiniertheit der Zeichnungen und den Realismus der Formen. Diese Bilder liefern zahlreiche Informationen über das Alltagsleben, die Mentalität und die Wertvorstellungen im 15. Jahrhundert. Sie bieten eine Menge von Motiven, die gleichzeitig von einer aufmerksamen Beobachtung der Natur, wie von der fürstlichen Prunkliebe zeugen.

Sie sorgen für die gegenseitige Ergänzung zwischen der Größe der Fürsten und der Arbeit der Bauern, zwischen den Herrlichkeiten dieser Welt und der kosmischen Ordnung. Sie vereinen die französischen Traditionen und die fremden Einflüsse aus dem Norden Europas und aus Italien. Die Metamorphosen schließlich, die dieses Buch selbst durchwandelt hat, und die Vielfalt der Talente, die bei seiner Herstellung mitgewirkt haben, tragen zur Komplexität seiner Entstehungsgeschichte und zum Andauern der Rätsel bei, die immer noch, trotz der Forschungen bedeutender Spezialisten, das Werk und seine Autoren darstellt.

Indem sie an der Erschaffung eines wahren Bildes der Welt und der Natur teilnahmen, haben die Brüder von Limburg und ihre Nachfolger uns eine Chronik des fürstlichen Lebens und eine Enzyklopädie des ausgehenden Mittelalters hinterlassen, die das Universum unter dem Aspekt seiner kosmischen Struktur und seiner sozialen Hierarchie betrachtet.

JEAN DE BERRY, EIN PRINZ IN DEN WIRREN DER HERRSCHAFT FRANK-REICHS *(1340-1416)*

Geboren am 30. November 1340, war Jean der dritte Sohn des Königs Johann II., genannt „der Gute", der Bruder von Charles, der später König Karl V. wurde, von Louis, der Herzog von Anjou sein würde, und Philippe le Hardi

(Philipp dem Kühnen), dem zukünftigen Herzog von Burgund. 1352 zum Ritter geschlagen, lebte er in einem kultivierten Milieu; sein Vater, dem er sehr nahe stand, liebte die Musik, die Literatur und die Malerei. 1346 Graf von Poitou und Befehlshaber der Länder südlich der Loire mit Bourges als Hauptstadt, entkam Jean der Niederlage von Poitiers (1356). Am 24. Juni 1360 heiratete er Jeanne d'Armagnac und wurde nach dem Frieden von Brétigny Herzog von Berry und Auvergne; er wurde jedoch mehr als vier Jahre lang, bis 1366, in Großbritannien zurückgehalten, um für die Zahlung des Lösegelds für seinen Vater zu bürgen, wobei er trotzdem von Zeit zu Zeit nach Frankreich reisen durfte.

Sein Leben würde nichts anderes sein als ein Wechsel zwischen Allmacht und Ausgrenzung. So kam es, dass er einerseits an der Rückeroberung von Westfrankreich und am Leben des Königshofes teilnahm, und andererseits nach dem Tod von Karl V. halb in Ungnade fiel. Doch da Karl VI. bei seiner Thronbesteigung erst zwölf Jahre alt war, wurde das Königreich von seinen Onkeln verwaltet, und der Herzog von Berry wurde eine Art Vizekönig in Zentral- und Südfrankreich. Die meiste Zeit residierte er in Paris, im Hôtel de Nesle. Die Maßlosigkeit seiner Repräsentanten verursachte, dass er 1389 und 1392 wieder von der Macht verdrängt wurde. Die Laune des Königs gab ihm dann wieder eine wichtige Rolle im königlichen Rat, der sich bemühte wieder Frieden ins Königreich einkehren zu lassen, die Engländer fernzuhalten und der großen Spaltung der Ostkirche ein Ende zu bereiten. Obwohl der Tod seines Sohnes und Erben im Jahr 1397 ihn dazu veranlasste sich zurückzuziehen, musste er im Konflikt zwischen Philippe de Bourgogne und Louis d'Orléans eingreifen. 1401 übernahm er wieder seine Rolle als Vizekönig von Zentral- und Südfrankreich; 1405 wurde er zum Generalkapitän von Paris ernannt. Doch die Situation zwischen dem neuen Herzog von Burgund, Jean sans Peur (Hans ohne Furcht) und Louis d'Orléans verschlimmerte sich; Louis wurde ermordet. Jean de Berry's Rolle des Vermittlers zwischen beiden Parteien nahm durch die Heirat seiner Enkelin, Bonne d'Armagnac, mit Charles, Herzog von Orléans, ein Ende: die Burgunder und die Pariser plünderten 1411 sein Hôtel de Nesle und sein Schloss von Bicêtre; sie belagerten Bourges, und der Herzog war gezwungen, einen großen Teil seiner Schmuckstücke einschmelzen zu lassen. Zurück in Paris, bekommt er die

Folgen der *Révolution cabochienne*[*] zu spüren, so dass er sogar im Kloster von Notre-Dame Zuflucht suchen muss, bis er schließlich durch seine erneute Rückkehr in die Gunst des Herrschers Hauptmann von Paris und Oberbefehlshaber des Languedoc zurückgewinnt.

Die Niederlage von Azincourt 1415 brachte ihn um einen Teil seiner Familie. Moralisch und physisch geschwächt, trat er vor seinem Schwiegersohn, dem Grafen von Armagnac, in den Hintergrund, und starb am 15. Juni 1416 im Hôtel de Nesle.

DER PRUNK EINES GROSSEN MÄZENS UND EINES ERFAHRENEN BÜCHERLIEBHABERS

Obwohl er in unglaublichem Luxus lebte und sehr reich war, konnte der Herzog von Berry kaum die Ausgaben bewältigen, die seine Liebe zu Kunstschätzen, seine Leidenschaft zu bauen und seine Großzügigkeit gegenüber Künstlern mit sich brachten.

Als großer Erbauer besaß er nicht weniger als siebzehn Schlösser, Paläste und Herrschaftshäuser, alle angefüllt mit Statuen, von denen uns nur wenige erhalten geblieben sind. Er zog vom einem zum anderen, restaurierte sie, passte sie dem Zeitgeschmack an und verschönerte sie mit Hilfe eines talentierten Baumeisters, Guy de Dammartin, der von der englischen Architektur beeinflusst war. Unter den berühmtesten seiner Residenzen sollte man im Westen von Paris, dem Louvre gegenüber, das Hôtel de Nesle nennen, im

Süden das Schloss von Bicêtre und, einige Meilen von Bourges entfernt, das Schloss von Mehun-sur-Yèvre, das sich in den *Très Riches Heures* auf der „Seite der Versuchung" wiederfindet.

Er war von Malern, Bildhauern und Architekten umgeben, mit denen er vertrauten Umgang pflegte. Einige von ihnen sind uns bekannt: André de Beauneveu, der für Karl V. an der königlichen Grabstätte in Saint-Denis gearbeitet hatte, Jean de Cambrai, der den Grabstein des Herzogs anfertigte, Jacquemart de Hesdin, der Erste, der den Realismus in die Landschaften der Miniaturmalerei einführte, und die drei Brüder von Limburg. Zur selben Zeit illustrierte ein genialer Maler das Stundenbuch

[*]Siehe Anmerkungen

des Maréchal de Boucicaut und leistete einen entscheidenden Beitrag zur Darstellung der Natur und der Dinge. Andere Künstler kamen an den Hof des Jean de Berry, wie Claus Sluter im Jahr 1393, um in Dijon für den Herzog von Burgund zu arbeiten.

Jean liebte es, sowohl exotische und wilde Tiere als auch Kunstwerke zu sammeln, die uns hauptsächlich durch die Inventarlisten bekannt sind, die auf Anordnung des Herzogs erstellt wurden: Edelsteine, kirchliche und profane Goldschmiedearbeiten, Wandteppiche, Stickereien, Tafelgold und Tafelsilber... und vor allem die schönen Bücher, die er bei den berühmtesten Buchmalern in Auftrag gab oder aus Italien kommen ließ. Sein Bibliotheksverwalter war übrigens ein Milanese, Pietro da Verona. Die Vielfalt der dreihundert Werke seiner Bibliothek, die er geschenkt bekam oder kaufte, zeugen von seinem universellen Wissensdrang: einundvierzig

Chroniken, achtunddreißig Ritterromane, vierundzwanzig wissenschaftliche Abhandlungen, wie *Über den Himmel* von Aristoteles und das *Livre de la sphère (Buch der Sphäre)* von Nicole Oresme, Übersetzungen der Klassiker der Antike, und vor allem mindestens einhundert religiöse Bücher: Bibeln, Psalter, Breviere, Messbücher, Stundenbücher usw...

Die Stundenbücher, fünfzehn an der Zahl, machten einen wichtigen Bestandteil seiner Bibliothek aus. Es waren Breviere für Laien, die jene Psalmen und Gebete enthielten, die man zu bestimmten Tageszeiten, für die sieben Stundengebete[*], sprechen sollte, und deren Auswahl, mit Ausnahme des Kalenders am Anfang, vom Geschmack des Auftraggebers abhing. Wenn auch nicht alle illustriert sind, so ist die künstlerische Qualität des Großteils von ihnen außergewöhnlich, und die Dekoration nimmt einen immer bedeutenderen Teil ein. Das Goldene Zeitalter dieser frommen Literatur liegt zwischen 1350 und 1480. Die *Très Riches Heures* sind das Meisterwerk dieses Genres und das Kleinod der Bibliothek des Herzogs; doch er ließ davor eine herrliche Sammlung anfertigen, die Künstlern wie Jean le Noir, dem Meister des *Parement de Narbonne*[*], Jacquemart de Hesdin und den Brüdern von Limburg zu verdanken ist: *Petites Heures*, angefertigt vor 1385; *Heures de Bruxelles (Brüsseler Stundenbuch)* oder *Très Belles Heures*, 1402 fertiggestellt; *Grandes Heures*, 1409 beendet; *Belles Heures*, ausgeführt zwischen 1408 und 1410; *Belles Heures de Notre-Dame*, 1413 noch unvollendet.

[*]Siehe Anmerkungen

DIE LANGE ENTSTEHUNGGESCHICHTE DER *TRÈS RICHES HEURES*; VON DEN BRÜDERN VON LIMBURG BIS JEAN COLOMBE

Wie viele Stundenbücher, sind die *Très Riches Heures* eine Arbeit gewesen, die sich über das ganze 15. Jahrhundert hinzog und die das Werk einer ganzen Gruppe von Künstlern auf der Grundlage eines ersten Entwurfes war: Kalligraphen, Initialenmaler, Miniaturmaler der kleinen und großen Bilder und der Randdekorationen.

Der Plan für das Werk wurde im Auftrag des Herzogs von Berry angefertigt und dann von den Brüdern von Limburg abgewandelt, die zwischen 1410 und 1416 mit der Ausarbeitung begannen. Aus Nimwegen im Herzogtum Geldern zwischen Maas und Rhein stammend, waren die drei Brüder Paul, Jan und Herman, Söhne eines Bildhauers, Arnold von Limburg (auch Arnold Malouel oder Arnold von Aachen genannt), und Neffen von Jean Malouel, dem offiziellen Maler von Philippe le Hardi und von Jean sans Peur. 1402 wurden sie zu Buchmalern des Herzogs von Burgund erklärt und arbeiteten bis zu seinem Tod im Jahr 1404 an der *Bible moralisée*. Danach traten sie in den Dienst von Jean de Berry, für den sie zwischen 1405 und 1408 die *Belles Heures* (die in New York aufbewahrt werden) illustrierten. Zuerst in Bourges, dann im Hôtel de Nesle in Paris ansässig, erscheinen sie im Oktober 1413 in den Rechnungsbüchern des Hauses de Berry. Am 13. November 1413 wird Paul zum Kammerdiener des Herzogs ernannt, wie später seine zwei Brüder. Alle drei starben, genau wie ihr Mäzen, im Jahr 1416.

Paul ist zweifellos der Chef gewesen, aber man weiß nicht, ob er die Arbeit seiner Brüder vorbereitet hat; und ob die drei Brüder von Limburg, nachdem sie miteinander gearbeitet haben, die zu malenden Miniaturen untereinander aufgeteilt und sich spezialisiert haben, einer auf die Gebäude, einer auf die Gesichter, einer auf die Kleidung. Man hat versucht, jedem einen Teil zuzuschreiben, aber die Ergebnisse scheinen uns diesbezüglich sehr unzuverlässig. Tatsache ist, dass es sich um ein kollektives Werk handelt, die Arbeit einer Gruppe, die den Passionszyklus, vier Miniaturen des Kalenders (die Monate Januar, April, Mai und August) und die acht außergewöhnlichen Miniaturen gemalt hat.

Danach hätte zwischen 1438 und 1442 ein anderer Künstler vom Hof Karls VII. und Marie d'Anjou's die Arbeit weitergeführt und andere Monate gemalt, die von einer anderen, ebenso raffinierten Inspiration zeugen: es werden nicht mehr Szenen vom Hof gezeigt, sondern das Leben der Bauern; und die Schlösser, die auf den Bildern erscheinen, gehören dem König.

In einer dritten Phase beendete der Maler Jean Colombe, der in Bourges geboren und dort gestorben ist (1430 oder 1435–1493) und der der Bruder des Bildhauers Michel Colombe war, die *Très Riches Heures* gegen 1485 für Karl I. von Savoyen. Davor hatte er für ihn eine *Apocalypse figurée* (1482), und für den Admiral Louis Malet de Graville das *Stundenbuch des Louis de Laval*, und *Ramuléon* illustriert. Man muss zugestehen, dass seine Kunst in der Miniatur des Novembers, gröber und weniger elegant ist, als die der Bücher der Brüder von Limburg.

Man kann also annehmen, ohne jedoch absolute Sicherheit zu haben, dass die *Très Riches Heures* nach dem Tod von Jean de Berry im Jahr 1416 in der Bibliothek des Königs von Frankreich geblieben sind, den er als seinen Universalerben eingesetzt hatte, bevor sie 1480 als Geschenk an das Haus Savoyen in Chambéry und Turin übergingen. Nachdem das Manuskript der Familie Spinosa gehört hatte, schenkte es Viktor Amadeus II. gegen 1720 der königlichen Bibliothek in Turin. Im Jahr 1856 kaufte es der Herzog von Aumale, Henry d'Orléans, einer der größten Sammler aller Zeiten, dem Baron Felix von Margherita, dem Erben des Marquis Jérôme Serra, ab.

•

Von den zweihundertsechs Blättern der *Très Riches Heures*, die im Musée Condé in Chantilly aufbewahrt werden, reproduzieren wir die vierzehn ersten, das heißt den Kalender, der die Bedeutung und das Gebet jedes Tages angab, und den anatomischen Menschen. Jeder Monat besteht aus zwei Seiten, eine für den Kalender, und die andere für die Miniatur, die oben mit einem Halbkreis abschließt. Der Kalender gibt von links nach rechts aufeinanderfolgend die goldene Zahl* in römischen Ziffern, die Tage der Nonen, Iden und Kalenden, die Liste der Heiligen, die Dauer des Tages in Stunden und Minuten, und die neue goldene Zahl an. Im Halbkreis über den Miniaturen umgeben die Tierkreiszeichen den Sonnenwagen.

Die *Très Riches Heures* sind folgendermaßen aufgebaut:
- Blätter 17 bis 19: LEKTÜRE DER EVANGELIEN
- Blätter 20 bis 23: MARIENGEBET
- Blätter 26 bis 63: STUNDEN DER JUNGFRAU MARIA
- Blätter 65 bis 71: PSALMEN DER SÜHNE
- Blätter 72 bis 74: GROSSE LITANEI
- Blätter 75 bis 78: STUNDEN DES KREUZES
- Blätter 79 bis 81: STUNDEN DES HEILIGEN GEISTES
- Blätter 82 bis 107: TOTENMESSE
- Blätter 110 bis 140: WOCHENMESSE
- Blätter 142 bis 157: STUNDEN DER PASSION
- Blätter 158 bis 204: STUNDEN DES LITURGISCHEN JAHRES

· JEAN DUFOURNET ·
Professor an der Sorbonne Nouvelle, Paris

*Siehe Anmerkungen

Diese Bankettszene, die die Brüder von Limburg zwischen 1410 und 1416 ausführten, ist die einzige Miniatur aus der Reihe, die ihre Handlung im Innern eines Schlosses ansiedelt. Es ist der Tag der Glückwünsche und Neujahrsgeschenke für den Herzog von Berry und einen in Purpur gekleideten Prälaten. Sie sitzen vor einem Kaminfeuer, das hinter einem runden Schutzschirm aus Korbgeflecht verborgen ist. Der Herzog lädt seine Vertrauten ein näherzutreten, wie es die Inschrift „Aproche + aproche" angibt. Für die, die ihm nahe standen, war es üblich, ihm Neujahrsgeschenke zu machen und es kam vor, dass sie sich zusammentaten um ihm gemeinsam ein schöneres Geschenk zu übergeben. Die Brüder von Limburg fertigten für diesen Anlass sogar eine Buchattrappe an. Man hat geglaubt, sie unter den Höflingen in der Miniatur zu erkennen. Im Vordergrund sind drei Hofbedienstete zu erkennen: der Mundschenk (links die blau gekleidete Gestalt, die dem Betrachter das Gesicht zuwendet), der Brotverwalter (rechts die hellblau gekleidete Gestalt, die dem Betrachter den Rücken kehrt), der Truchsess (rechts die grün gekleidete Gestalt, die dem Betrachter den Rücken kehrt).

Über dem Kamin befindet sich ein Baldachin aus roter Seide, dessen Zentrum mit dem Wappen des Herzogs von Berry verziert ist: ein blauer Grund, übersät mit goldenen Lilien, und daneben kleine Bären und verletzte Schwäne, die die Liebe des Herzogs zu einer Dame symbolisieren, die den Beinamen *Ursine* trägt, der sich aus *urs* (Bär) und *sine* (Schwan) zusammensetzen lässt.

Ein Wandteppich (oder ein Gemälde) bedeckt die hintere Mauer: er stellt eine Szene aus dem Trojanischen Krieg dar.

10

A   Die drei Brüder von Limburg haben sich vielleicht in dieser Miniatur selbst dargestellt, wie sie es in anderen der *Belles Heures* und der *Petites Heures* getan haben: Paul trüge eine rote Kopfbedeckung, die über dem Ohr umgeschlagen ist; er verdecke seinen zweiten Bruder, wohingegen der Dritte unterhalb der zwei anderen auftauche.

B   Man bemerke hier, wie an anderer Stelle, die Anwesenheit der Lieblingshunde des Herzogs. Ganz rechts in der Miniatur laufen zwei kleine Hunde auf der Tafel, in der Nähe eines goldenen Schiffs, dessen Bär und Schwan die Wappentiere des Herzogs sind – es handelt sich um ein Gefäß in der Form eines Schiffes, das die persönlichen Tischobjekte (Messer, Löffel, Salz und Gewürze) des Herrn enthält. Weiter unten gibt ein Diener einem Windhund zu fressen. Die Moralisten, wie der Chevalier de la Tour Landri im Jahr 1372, empfahlen, kein Fleisch zu verschwenden, um damit die Hunde zu ernähren.

Nachfolgende Doppelseite:
Der Herzog von Berry liebte es, dargestellt zu werden. Hier trägt er eine Fellkappe und ist mit einer weiten blauen *Houppelande* mit engem Stehkragen bekleidet, die am Hals von einer Kette mit Anhänger umschlossen ist. Er trägt nicht mehr den Bart oder den Schnauzbart, der ihn von 1385 bis 1405 und von 1406 bis 1409 zierte.

A

B

Diese Miniatur, die von einem unbekannten Künstler am Hofe Karls VII. zwischen 1438 und 1442 ausgeführt wurde, ist im Gegenteil zu der Vorangegangenen der Härte des Bauernlebens im Winter gewidmet. Im Vordergrund, in einer Umzäunung (dem sogenannten *Plessis*, der dazu da ist, die wilden Tiere fernzuhalten) sehen wir links das Innere des Bauernhauses mit einer Frau und einem jungen Paar, die sich am Feuer aufwärmen. Im Zentrum und rechts sind ein Schafstall, vier Bienenstöcke, ein Taubenschlag, ein Baum, Fässer, Holzbündel und ein Karren dargestellt.

Außerhalb, im Hintergrund, ein Heuhaufen und drei Gestalten: einer, der in seine Hände bläst, ist auf dem Weg, ins Haus zurückzukehren, während der andere einen Baum fällt. Ganz oben führt ein Dritter einen Esel in Richtung des Dorfes mit Kirche.

Das Weiß des Schnees unterstreicht alle Details dieser realistischen Szene, die sich zusammenfügen um ein genaues Bild eines harten Wintertages in einem Raum, der sich in die Weite ausdehnt, wiederzugeben. Die Fußspuren im Schnee, der schwere Gang des Bauern, der auf dem Weg ins Dorf ist, der Wasserdampf, der aus dem Mund der dritten Gestalt kommt, schaffen alle ein neues Bild des Winters und kündigen die Kunst Bruegels an.

16

A   Der Bauer und der Esel. Es ist interessant festzustellen, dass Spuren vom Entwurf zurückbleiben, die vielleicht Paul von Limburg zuzuschreiben sind, und die nicht mit dem Endprodukt übereinstimmen.

B   Die vier Bienenstöcke aus Stroh. Der Honig war im Mittelalter von kapitaler Bedeutung in der Ernährung. Der Rohrzucker ersetzte erst nach und nach den Honig ab dem 18. Jahrhundert. Er war teuer und wurde lange Zeit nur in sehr kleinen Mengen verkauft und als Medizin angesehen und eingenommen.

Nachfolgende Doppelseite:
Das Innere des Bauernhauses. Dem Haus wurde seine Außenmauer abgenommen, damit man das Innere, und vor allem die Personen, die sich am Feuer aufwärmen, sehen kann. Die Frau hebt leicht ihr langes blaues Kleid an um sich besser aufzuwärmen. Der Mann und die Frau daneben hingegen sind kurz bekleidet und tragen offensichtlich keine Unterbekleidung.

A

B

Diese Miniatur, die vielleicht von Paul von Limburg geplant und gegen 1440 von einem unbekannten Künstler ausgeführt worden ist, stellt in gewisser Weise die Synthese zwischen der Welt der Fürsten und dem Bauernleben dar.

Im Hintergrund steht das Schloss von Lusignan im Poitou, das eine der Lieblingsresidenzen des Herzogs von Berry bis zu seinem Tod 1416 war; es ging dann in den Besitz von Jean de Touraine, und bei dessen Tod im Mai 1417, in den des Kronprinzen Charles, dem zukünftigen Karl VII., über. Es ist ein schönes Beispiel eines Feudalschlosses aus dem 15. Jahrhundert. Man erkennt, von links nach rechts, den Tour Poitevine, aus dem die Fee Melusine entflieht, den Tour de l'Horloge, die *Barbarkane* (oder befestigtes Vortor) und die doppelte Ringmauer. Die Berücksichtigung der Proportionen hat einige Kritiker annehmen lassen, dass der Künstler einen optischen Apparat benutzt hat. Aber man sollte vor allem hervorheben, dass die Präzision der Details dem Schloss nichts von seiner Macht und seiner symbolischen Rolle, die Illumination dominieren, nimmt.

Vor dem Schloss wohnt man den ersten Arbeiten auf dem Feld bei: der Schäfer hütet mit der Hilfe seines Hundes eine Schafherde; weiter unten arbeiten Männer im Weinberg; rechts in einer anderen Umzäunung sind ein anderer schon geschnittener Weinberg und ein Häuschen sichtbar. Darunter beugt sich ein Bauer über einen Sack, zweifellos um daraus Saatgut zu entnehmen. An der Kreuzung zwischen den verschieden en Anbauflächen dient ein kleines Bauwerk, das zum leichteren Besteigen der Pferde benutzt wurde, als Grenz- und Markierungsstein. Im Vordergrund schließlich, lenkt ein Bauer zwei Ochsen, die einen Pflug ziehen.

22

Die Fee Melusine. Im Jahr 1393 widmet Jean d'Arras dem Herzog
von Berry einen Melusinenroman, den 1401 ein anderer Autor, Coudrette,
neu schreibt. Laut Jean d'Arras „kam es vor, dass Feen die Erscheinung
von sehr schönen Frauen annahmen und dass einige Männer solche gehei-
ratet hätten. Sie (die Feen) hatten ihnen den Schwur abgenommen, gewisse
Bedingungen zu respektieren (...) Solange sie diese Bedingungen beachte-

A ten, erfreuten sie sich einer hohen Stellung und großen Wohlstandes. Und
sobald sie ihren Schwur brachen, verloren sie ihre Ehefrauen, und das
Glück verließ sie nach und nach." Das ist, was Raymondin geschah, der
den Vertrag brechend das Geheimnis der Fee Melusine. Sie verwandelte
sich an einem Samstag in einen Drachen. Die Fee verschwand damals, und
er verlor das Glück, das sie ihm gebracht hatte. Die Romane neigen dazu
aus Jean de Berry den legitimen Erben der Melusine, Gründerin des
Schlosses, zu machen.

Der Bauer mit dem Pflug ist ein schon älterer Landmann, der eine
blaue *Cotte* und ein weißes *Surcot* (eine Art Tunika) trägt. Er hält in der
rechten Hand den Stab um die Ochsen zu lenken und mit der Linken die
Gabel des Pflugs, der durch den Gebrauch von Eisen als Material verbes-

B sert war. Das verstärkte die Leistung der Angriffspunkte, das Kolter, die
Pflugschar und das Streichblech. Das Gruppe, bestehend aus diesem
Ackergerät, den Ochsen oder Pferden und dem Mann stellte die wirt-
schaftliche Grundeinheit dar. Der Bauer benutzt zweifellos wegen der
schweren Erde weiterhin die Ochsen.

Der Weinberg. Im Mittelalter war das französische Weinanbaugebiet
ausgedehnter als heute, und die Weine aus Poitou, Aunis und Saintogne,
die hauptsächlich weiß waren und über La Rochelle exportiert wurden,
hatten einen sehr guten Ruf und wurden von den Engländern und Fla-

C men geschätzt; in den Jahren um 1380 waren es mindestens zehntausend
Fässer voll Wein aus dem Poitou, die man jährlich in Damme, dem Vorha-
fen von Brügge, verkaufte. Doch diese Weine litten seit dem 13. Jahrhundert unter der Konkurrenz derer von Bordeaux und Ende des 14. Jahrhunderts derer von Burgund.

A

B

C

· DER MONAT APRIL ·

Dieses Bild, das von den Brüdern von Limburg zwischen 1410 und 1416 angefertigt wurde, stellt eine Verlobungsszene eines fürstlichen Paares in frühlingshafter Umgebung dar. Es handelt sich vermutlich um die Verlobung des Herzogs Charles d'Orléans und Bonne d'Armagnac, der Enkelin von Jean de Berry, die am 18. April 1410 in Gien gefeiert worden war. Charles hat Bonne in einer Ballade besungen (Nr. 47): „Für den Glücklichsten unter dem Himmel / Halte ich mich, wenn sie meine Liebste heißt; / Denn an allen Orten, wo sie bekannt / Die Allerschönste wird genannt. / Gebe Gott, dass trotz der widrigen / Gefahr ich sie kurz gewahr, / Und dass ihr Mund mir sage: / „Liebster gedenkt, dass nur von Euch allein / Ich die Liebste sei."

Die Verlobten tauschen vor zwei Zeugen die Ringe aus, während zwei elegante Hofdamen Blumen pflücken. Kleiner, hinter der Gruppe, erkennt man einen Hofnarren. Der Frühling, der Schönheit, Freude und Glück ausdrückt, trägt zum Gelingen des ritterlichen Festes bei, das durch die Pracht der Farben und des Lichtes hervorgehoben wird: die Klarheit ist der grundlegende ästhetische Wert der mittelalterlichen Aristokratie.

Das Schloss, an dessen Mauern die Häuser des Weilers angebaut sind, ist schwer zu identifizieren. Gewöhnlich vermutet man, dass es sich um das Schloss von Dourdan handelt, das dem Herzog von Berry seit 1400 gehörte. In diesem Falle wäre der Fluss, der zu Füßen des Schlosses fließt, die Orge. Aber es könnte auch das Schloss von Pierrefonds, Besitz des Herzogs von Orléans, sein: das Gewässer davor wäre also der *Etang du Roi,* und rechter Hand wäre der Park mit einem dazugehörigen Gebäude und einem von Mauern umgebenen Obstgarten.

Froissart betont in seinen *Chroniken* die Schönheit der Schlösser des Herzogs von Berry und ihrer inneren Ausstattung. Wenn das Schloss dazu dienen soll, die Macht auszuüben, so verleiht es ihr gleichermaßen Ausdruck und verherrlicht sie. Außerdem bietet es auch, im Gegensatz zur wimmelnden Stadt und dem bedrohlichen Land, den Rahmen einer geschlossenen und geschützten Welt, von der das Volk ausgeschlossen ist.

26

Beim Malen der fürstlichen Gruppe haben die Brüder von Limburg dem Gleichgewicht der Komposition, der Landschaft, die in Erscheinung tritt und den Farbgegensätzen, der Pracht der Kleidung, die auf die Macht schließen lässt (das Gewand des jungen Prinzen ist mit Prinzenkronen übersät) besondere Aufmerksamkeit geschenkt. Die Art sie zu tragen, ordnet die Personen ein und drückt ihre moralischen Qualitäten ebenso aus wie ihren Adel. Der Ausdruck der Gefühle ist gut wiedergegeben: der Verlobte sieht seine zukünftige Frau verliebt an, während sie die Augen senkt. In dieser höfischen Szene, die ein geregelter Dialog zwischen den Geschlechtern ist, durfte die Frau nicht so prächtig geschmückt sein wie der Mann. Die weibliche Kleidung hat ihre Eigenheit in den adeligen Gesellschaften des 14. Jahrhunderts erlangt.

Eine der beiden Hofdamen trägt einen weiten Überock, der gegen 1390 aufkommt und sich bis um 1440 hält. Er ist nicht vorne geöffnet und seitlich geschlitzt wie der der Männer. Der Stoffgürtel, der im Rücken mit einer Schnalle geschlossen wird, ist unmittelbar unter die Brust gesetzt. Die Ärmel sind entweder „offen", weit, oder „geschlossen", eng an den Handgelenken. Diese *Houppelande* wird aus Wollstoff oder goldgewirktem Stoff, Satin oder gemustertem Samt geschneidert, die oft mit Pelz besetzt sind.

Was die Frisur betrifft, sind ab 1380-1390 die Ohren frei, und die Haare werden unter einer Haube zusammengefasst. Um die Stirn hervorzuheben, sind die Haare in der Mitte gescheitelt und nach hinten gekämmt; jedoch können sie über die Schultern offen getragen werden. Die Wulsthaube, die mit Baumwolle oder Werg gestopft ist, kommt zu Anfang des 15. Jahrhunderts zur Kopfbedeckung hinzu: sie kann bestickt, mit Federn oder gefassten Edelsteinen verziert sein.

· DER MONAT MAI ·

Diese Szene, die von den Brüdern von Limburg gemalt wurde, stellt das Fest des 1. Mai dar, das ein Fest der Liebe war: „Der Gott der Liebe ist Tradition / An diesem Festtage / Für jene verliebten Herzen, / Die ihm zu dienen wünschen; / Zu diesem Anlass bedecken sich die Bäume / Mit Blumen und die Felder mit fröhlichem Grün, / Damit das Fest noch schöner sei / An jenem ersten Tag im Mai" (Charles d'Orléans, Ballade Nr. 48).

Man zog im Gefolge in einen benachbarten Wald, um Zweige abzuschneiden, mit denen man dann die Häuser und Straßen schmückte, um die Erneuerung des Frühlings zu feiern. „Um Mitternacht zogen alle Stadtbewohner hinaus in den Wald. Die Stadt hatte den Ruf, ein Tempel der Fröhlichkeit zu sein. Am Morgen, sobald das Tageslicht ganz hell war, trugen alle, mit Blumen, Gladiolen, grünen und dicht belaubten Zweigen beladen, ihren Maibaum zurück (...) Sie brachten ihren Maischmuck in die höheren Stockwerke und stellten ihn an den Fenstern zur Schau und schmückten alle Balkone: auf das Pflaster, überall, warfen sie Gras und Blumen um die Festlichkeit dieses Tages und dieser hohen Versammlung zu feiern." (*Jean Renart*, Guillaume de Dole).

Von Musikern angeführt, die auf Posaunen und Flöten spielen, haben die Teilnehmer Blätterkronen aufgesetzt und Blätterketten um den Hals. Die Damen tragen lange grüne Kleider, die damals für jenen Tag unerlässlich waren. Der Reiter, der sich zu der ersten Reiterin umwendet, sei der Graf von Clermont, Jean de Bourbon, und die Dame sei seine dritte Gemahlin, Marie de Berry, die Tochter des Herzogs von Berry. Ihre Heirat wurde am 24. Juni 1400 gefeiert, und Jean wurde im Jahr 1410 Herzog von Bourbon. Was diese Vermutung über die Identität der Personen unterstützt, sind erstens die Embleme auf dem Geschirr der Pferde - goldene Kreise mit sieben Punkten in ihrer Mitte - und außerdem das Schloss im Hintergrund, welches das Palais de la Cité in Paris sei, wo die Hochzeit gefeiert wurde. Die *Très Riches Heures* sind also eine Chronik des Prunks des Adels um den Herzog von Berry und seine Familie.

Im Hintergrund erkennt man links den eckigen Turm des Châtelet, mit einem Wachturm, und danach vier Türme, die noch existieren: die Spitze des Eckturms, die zwei Türme der Conciergerie, den Tour de l'Horloge.

30

A Das Châtelet, schon im Jahr 1130 erbaut, um die Große Brücke zu verteidigen, und von Karl V. umgebaut, war in seinem rechten Teil Sitz einer königlichen Verwaltung, der Vogtei von Paris, und in seinem linken Teil ein Gefängnis.

B Dass die Farben nicht ohne symbolischen Wert sind, lässt sich aus dem schließen, was uns Guillaume de Machaut im *Remède de Fortune* (gegen 1201-1210) und in der *Louange des dames* (Ballade Nr. 212) berichtet: Rot steht für die Leidenschaft der Liebe, Weiß für die Freude und Schwarz für den Schmerz; Grün steht in Verbindung mit dem Erwachen der Liebe, während Azurblau (*pers* oder *fin azur*) Loyalität bedeutet. Gelb, die Farbe der Falschheit, ist geächtet. Feste zu geben bedeutet nicht nur eine leichtfertige Belustigung, sondern auch eine Pflicht der Prinzen. Triumph des schönen Scheins und der Mode, nötigen sie zum Streben nach Eleganz und nach der Perfektion der Umgangsformen.

Nachfolgende Doppelseite:

Das Prinzenpaar. Jean de Bourbon hat sich in ein prächtiges zur Hälfte schwarzes, zur Hälfte weiß-rotes Gewand gekleidet. Marie de Berry trägt ein grünes Kleid, dessen Futter azurblau mit goldenen Blumen ist. Das Azur, mit goldenen Blumen übersät, ist ein Ausdruck der Größe und der Feierlichkeit. Ihre weiße Haube ist mit grünen Blättern geschmückt.

A

B

· D E R   M O N A T   J U N I ·

Aus dem Jahr 1440 stammt diese Miniatur, die das Werk eines Malers aus dem Umkreis von Karl VII. zu sein scheint, und die sich von der vorherigen unterscheidet wie die Arbeit der Bauern von den fürstlichen Festen. Aber wie in der vorangegangenen finden wir im Hintergrund auf der gegenüber liegenden Seite des Wassers, hinter einer Befestigungsmauer, diesmal deutlicher, den königlichen Palast der Cité, von dem wir bislang nur die Dächer wahrgenommen hatten. Wir erkennen, der Reihenfolge nach, von links nach rechts: den *Salle sur l'eau*, die drei Türme – Tour Bonbec, Tour d'Argent und Tour de César – den Tour de L'Horloge; die beiden hohen Giebel des großen Saals hinter der Galerie Saint-Louis; die Gemächer des Königs und den Tour Montmorency; und schließlich die Sainte Chapelle.

Das Palais de la Cité, das bis 1417 Sitz der Könige in Paris war, wurde dann ein Ort der königlichen Justiz- und Finanzverwaltung.

Im Vordergrund wohnen wir einer Heuernteszene bei, so wie man sie bis vor kurzem noch bei uns auf dem Lande sehen konnte. Nur die Kleidung der Bauern hat sich geändert. Die Szene spielt am Seineufer, auf einer Wiese, dort, wo sich heute der rechte Flügel des Palais de l'Institut (Sitz des Institut de France), genauer gesagt die Bibliothèque Mazarine, befindet. Dies war der Platz des Hôtel de Nesle, einer der Lieblingsresidenzen des Herzogs von Berry.

Eine Frau recht das Heu zusammen, das eine andere mit der Heugabel zu Haufen aufschüttet. Rechts schneiden drei Männer mit Sensen das Gras in gleichenmäßigen Strichen.

A An der Spitze des Palastes befindet sich außerhalb der Befestigungsmauer, ein direkter Zugang zur Seine.

Die Bäuerin im Zentrum des Bildes, die mit bloßen Füßen arbei-
tet, hat viel Grazie und Eleganz. Der Miniaturmaler hat den Bauern ihre
B Würde wiedergegeben, nachdem man sie lange Zeit verachtet und igno-
riert hatte, und sie kaum von den wilden Tieren unterschied, die man
genauso fürchtete wie sie.

Nachfolgende Doppelseite:
Die *Sainte Chapelle*, die im Januar 1246 von Saint-Louis begon-
nen worden war, um Reliquien der Passion Christi aufzunehmen, und die
am Sonntag, dem 25. April 1246 geweiht wurde, ist doppelt konstruiert.
Die untere, Notre-Dame gewidmete Kapelle war für die Gefolgschaft des
Königs und die Höflinge des Palais bestimmt. Die obere Kapelle, die der
heiligen Dornenkrone und dem Wahren Kreuz gewidmet war, und dem
König und den Leuten aus seinem nächsten Umfeld vorbehalten war,
war wegen der Ausmaße ihrer Fenster (15,40 m hoch, 4,50 m breit) eine
architektonische Neuerung.

A

B

Diese Miniatur, die das Werk des Künstlers um das Jahr 1440 zu sein scheint, der den Monat Juni gemalt hat, ist eine Ergänzung zur vorangegangenen, indem sie andere landwirtschaftliche Arbeiten darstellt.

In einem Feld, das auf allen Seiten durch Wasserläufe und Bäume begrenzt ist, schneiden zwei Erntearbeiter Weizen mit der Sichel; sie sind in zwei verschiedenen Körperhaltungen dargestellt. Der geschnittene Weizen ist noch nicht in Garben gebunden. Im Feld erkennt man Kornblumen und Klatschmohn.

Im Vordergrund im rechten Dreieck scheren eine Frau im blauen Kleid, von hinten gesehen, und ein kniender Mann Schafe mit der Wollschere. Wenngleich die gebirgige Landschaft eher konventionell scheint, ist das dreieckige Schloss mit den Blauschieferdächern das von Poitiers, umflossen vom Fluss Clain. Vom Herzog von Berry am Ende des 14. Jahrhunderts erbaut, blieb es in seinem Besitz bis zu seinem Tod im Jahr 1416. Es ging danach in den Besitz des Herzogs von Touraine über, dann am 17. Mai 1417 in den von Charles de France, dem zukünftigen Karl VII., der daraus eine seiner Hauptstädte machte. Man erreichte dieses Schloss, das nicht mehr existiert, über einen langen Steg, den ein rechteckiger Turm und eine Zugbrücke schützten. Eine kleine Brücke gewährte Zugang zum inneren Turm. Rechts vom Schloss lag eine Gruppe von Gebäuden, darunter eine Kapelle, die durch einen Seitenarm des Flusses geschützt waren.

42

A Der Erntearbeiter, der einen Stock benutzt, sicher um den Weizen aufzurichten, ist im Begriff von seiner Sichel Gebrauch zu machen. Er erinnert an einen der drei Männer mit den Sensen im Juni: ein breitkrempiger Hut schützt ihn vor der Sonne; er trägt ein weißes Hemd, unter dem man eine Unterhose wahrnimmt; im Gegensatz zu dem anderen Erntearbeiter ist er barfuß.

B Die Flusslandschaft mit ihren zwei Schwänen, ihren Korbweiden und Schilfrohren. Der Miniaturmaler erfasst nicht mehr nur das Detail der Phänomene in der unendlichen Vielfalt der Erscheinungen: „Durch das Spiel der Atmosphäre, deren Illusion der Maler endlich zu erwecken weiß, zeigt die Landschaft die Wahrheit der sichtbaren Einheit"[1]. Aufmerksam die Einzigartigkeit jedes Objekts erfassend, gelingt es den Buchmalern, die Vielfalt der Erscheinungen in einem Universum zusammenzufassen, dessen leuchtendes Prinzip für die Kohärenz sorgt.

Nachfolgende Doppelseite:
Der Bauer hält mit einer Hand ein Schaf auf seinem Knie fest und hat in der anderen die Wollschere; er schaut seiner Begleiterin bei der Arbeit zu und gibt ihr sicherlich Ratschläge. Die Schafe der *Très Riches Heures* gehören nicht mehr der literarischen Tradition der *Pastorelle* und der Schäferdichtung an; sie nehmen ihren Platz in der Alltagsrealität ein, die des Künstlers Talent poetisch zum Ausdruck bringt.

1. Georges DUBY, *Fondements d'un nouvel humanisme (1280-1440)*, Genf, 1966.

A

B

· D E R M O N A T A U G U S T ·

Diese Miniatur, die von den Brüdern von Limburg zwischen 1410 und 1416 gemalt wurde, beinhaltet mehrere Szenen.

Der Vordergrund ist einer der Lieblingsbeschäftigungen des Adels, der Beizjagd gewidmet: mit Hilfe von gezähmten Greifvögeln, vor allem Falken, von denen man wegen der Schwierigkeit ihrer Dressur fasziniert war, wurden Kraniche, Schwäne und Wasservögel, wie zum Beispiel Enten, gejagt. Der Falke bot sich an, wegen seiner Kühnheit und Schönheit, als ein verfeinertes Symbol der Würde, der guten Erziehung, der friedlichen Beziehungen und der Eintracht. Man verschenkte ihn, um seine Freundschaft oder Liebe zu bezeugen, oder setzte ihn als Preis für ein Turnier aus. Die Beizjagd war ein Zeichen von Macht und Reichtum und förderte den sozialen Umgang und die verfeinerten Vergnügungen; sie demonstrierte die Eleganz und Ritterlichkeit der Edelleute; sie gehörte zur aristokratischen Geselligkeit.

Man bricht zur Jagd auf. Vor dem Reiterzug dreht sich ein Falkner, der zu Fuß geht, zum ersten Reiter um, sicherlich um ihn nach Anweisungen zu fragen. Eine Edelfrau in schwarzem Kleid mit weißem Volant und roten Ärmeln, und ein Reiter, der seinen Falken loslässt, sitzen auf einem grauen Zelter*. Auf einem Schimmel ist ein einzelner Reiter im Begriff, seinen Falken fliegenzulassen. Auf einem dritten Pferd, einem Braunen, unterhält sich ein Paar: auch dieser Edelmann hat einen Falken auf der Hand sitzen. Um den Reiterzug herum rennen Hunde, deren Aufgabe es ist, das Wild aufzuscheuchen und es zurückzubringen, sobald der Falke es geschlagen hat. Im Hintergrund baden Leute offensichtlich nackt im Fluss Juine.

Auf der anderen Seite des Wassers arbeiten Bauern auf einem Feld: rechts binden zwei von ihnen die Ernte in Garben zusammen, die andere Bauern links auf einen Karren mit zwei Pferden laden. Die realistischen Motive, die früher zweitrangig waren, bilden nun den Rahmen des fürstlichen Lebens.

Im Hintergrund steht das Schloss von Etampes, das der Herzog von Berry im Jahr 140 zur selben Zeit wie die Grafschaft erworben hatte. Man erkennt hinter der Befestigungsmauer die Türme, die Kapelle und die ziegelgedeckten Gebäude und in der Mitte den viereckigen Bergfried, den *Tour Guinette*.

*Siehe Anmerkungen

Der einzelne Reiter ist mit Sicherheit der Herzog von Berry. In den Texten wie in den Illustrationen sieht man oft einen Reiter sein Pferd mit der rechten Hand und auf der linken Faust einen Falken oder Sperber halten. Das Pferd war nicht nur ein Reittier, es war auch ein Sinnbild des Adels, ein äußeres soziales Identifikationszeichen ebenso wie ein moralisches und materielles, auf gleicher Ebene wie das Wappen, ein Prestigemittel. Die Farbe Weiß, Zeichen der Vortrefflichkeit, war die Farbe der Pferde des heiligen Georg und des heiligen Michael, den Schutzpatronen die Rittertums. Weiß war auch ein Kennzeichen der Souveränität oder sogar des Wunderbaren und des Übernatürlichen. Für Sicile[2] war es in seinem Werk *Blason des couleurs* ein Symbol von Schönheit und Freude, von vernünftiger Gerechtigkeit und von Ehrbarkeit.

Der Falkner hält auf seiner linken Faust, an einer Leine festgemacht, zwei Falken, die scheinbar noch ihre Haube übergezogen haben; und in der rechten Hand einen langen Stock, mit dem er Bäume und Büsche abklopfen wird, um das Wild aufzuscheuchen. Er trägt am Gürtel einen künstlichen Köder, der mit seinen zwei Flügeln die Form eines Vogels nachahmte und auf den man Fleischstücke legte, um den Falken daran zu gewöhnen zu ihm zurückzukehren. Falkner oder Jägermeister im Dienste eines Fürsten zu sein, hatte nichts erniedrigendes an sich: Gaston Fébus bezahlte seine Jäger besser als seine Schreiber. In seinen *Livres du Roi Modus et de la Reine Ratio* fordert Henri de Ferrières die Falkner dazu auf, ihre Vögel zu lieben, freundlich mit ihnen umzugehen und sie aufmerksam zu pflegen.

Eine Frau bereitet sich nackt (wie es damals zum Baden üblich war) darauf vor, ins Wasser zu steigen; zwei andere Personen schwimmen, eine davon auf dem Rücken; eine vierte Person steigt aus dem Wasser.

2. Jacques D'ENGIEN, genannt SICILE, *Blason des Couleurs en Armes*, 1528

Diese Miniatur wurde sicherlich in zwei unterschiedlichen Zeitabschnitten gemalt: zuerst der obere Teil (der Himmel und das Schloss) in der Mitte des 15. Jahrhunderts zwischen 1438 und 1442 zur Zeit von René d'Anjou und Yolande d'Aragon; dann der untere Teil (die Weinernte), von Jean Colombe nach einem Entwurf seines Vorgängers. Im Allgemeinen begann man mit dem Hintergrund, malte dann die Personen und schließlich die Gesichter.

Im Vordergrund findet die Weinernte statt. Eine Frau mit weißroter Schürze scheint schwanger zu sein, junge Männer pflücken die violetten Trauben; zwei andere ruhen sich aus, und einer von ihnen probiert die Trauben; ein anderer geht mit einem Korb am Arm zu einem Lastesel, der zwei Körbe trägt. Die Trauben werden entweder auf die Tragkörbe der Maultiere geladen oder in Fässer auf einem Karren geschüttet, der von Ochsen gezogen wird.

Im Hintergrund ist das Schloss von Saumur mit seinen Kaminen und seinen Wetterfahnen in Form von goldenen Lilien zu sehen. Von Louis II. d'Anjou erbaut, wurde es seiner Gemahlin Yolande d'Aragon, der Mutter des Königs René und Schwiegermutter Karls VII., gegeben, über den sie beträchtlichen Einfluss ausübte. Die Abbildung dieses Schlosses mag sich durch die wichtige Rolle erklären, die Yolande während des ersten Teils der Herrschaft Karls VII. gespielt hat, und durch das Vergnügen, mit dem er dort residierte. Linker Hand hinter der Umfassungsmauer ein Glockenturm, die Kamine der Küchen und der Eingang mit der Zugbrücke: ein Pferd kommt gerade heraus, und eine Frau mit einem Korb auf dem Kopf geht darauf zu.

Vor dem Schloss, zwischen den Weinbergen und dem Burggraben, ist ein Kampfplatz zu sehen, der durch einen hölzernen Zaun abgegrenzt ist und auf dem vor allem die Turniere abgehalten wurden.

52

Rechte Seite:

Die Architektur der Schlosses zieht den Blick hinauf in die Windungen einer poetischen Träumerei. Die Türme, die den Verteidigungsapparat hinter dem blumengeschmückten Festkleid verbergen, bereiten auf die fabelhaften Abenteuer der Tafelrunde in den Wäldern vor und zieren sich mit dem Schmuck der Natur, der für die Gegenwart von Gott in der Schöpfung steht. „Der gotische Turm ist eine Traumsilhouette mit veinen Konstellationen von Baldachinen, Zinnen, Giebeln und Pfeilen, mit ihren Haken, die im Gegenlicht vibrieren."[3]

Nachfolgende Doppelseite:

Mitten in der Weinernteszene zeigt ein kleiner Mann sein Hinterteil. Dieses gewollt groteske Detail steht im Kontrast zur feinen Eleganz des Schlosses. Die Bauern von Jean Colombe besitzen nicht die Würde, die sie in den anderen Miniaturen ausstrahlen.

3. François CALI, L'Ordre framboyant. *Essai sur le style gothique du XIVe au XVIe siècles*, Paris, 1967.

Diese Miniatur ist mit der des Monats Juni in Verbindung zu setzen. Vom selben Künstler gemalt, befinden sie sich beide am linken Seineufer, in der Nähe des Hôtel de Nesle. Doch während man in der Szene des Monats Juni nach Osten, in Richtung des *Palais de la Cité* schaute, wendet der Blick sich nun in Richtung des von Karl V. umgebauten Louvre. Im Zentrum ist der Bergfried, den man *Tour du Louvre* nannte, erkennbar, in dem der Thronschatz aufbewahrt wurde; dann, von rechts nach links gesehen, der *Tour de la Taillerie*, die östliche Fassade mit zwei Zwillingstürmen, der Turm der *Großen Kapelle* und die südliche Fassade, auch sie mit zwei Zwillingstürmen versehen. Davor erstreckt sich eine Ringmauer mit Türmen, Erkern und einem Ausfalltor.

Am Ufer der Seine gehen Leute spazieren und unterhalten sich; sie tragen ein dunkles, einfarbiges, kurzes und mit einem Gürtel zusammengehaltenes Gewand, das in der Mitte des 15. Jahrhunderts typisch ist. Eine der Personen ist dabei, mit ihrem Boot abzulegen, während ein anderer mit seinem Boot anlegt.

Links im Vordergrund eggt ein Bauer auf einem Pferd ein Feld: seine Egge ist mit einem großen Stein beschwert, damit die Zinken tiefer in die Erde eindringen. Rechts sät ein anderer Mann mit der Hand Getreide aus. Elstern und Krähen picken das Saatgut neben einem weißen Sack voller Körner und einem Umhängebeutel auf. Eine Vogelscheuche und gespannte Schnüre halten sie vom hinteren Teil des Feldes fern.

58

A Die Vogelscheuche stellt einen Bogenschützen dar. Dem Beispiel der Engländer folgend, spielten die Bogenschützen eine immer wichtigere Rolle in den Schlachten. Durch den Erlass vom 28. April 1448 wurden sogar Verbände von Freibogenschützen gegründet, die von den Dorfgemeinschaften ausgerüstet werden mussten, und die sich sehr bald durch ihre übertriebenen Forderungen und ihre Feigheit so unbeliebt machten, dass sie schließlich 1480 wieder abgeschafft wurden. So entstand die Karikatur des prahlerischen und feigen Freibogenschützen. (*Monologue du franc archer de Bagnolet*, geschrieben zwischen 1468 und 1480).

B Die Elstern und Krähen gehören nicht zum Bereich romantischer Liebe in der höfischen Welt, wie die Nachtigallen, Amseln und Lerchen..., sondern zur ländlichen Realität. Außerdem hielt man sie für Kreaturen des Teufels, gegen Gott revoltierend und Unglück verheißend.

Nachfolgende Doppelseite:
Die Ringmauer ist durch Türme und Erker verstärkt. Diese Vorbauten konnten verschiedene Formen annehmen: zinnenbewehrte Vorsprünge aus Mauerwerk, Holzkonstruktionen oder Erdwälle.

A

B

Dieses Bild ist mit Ausnahme des Tympanons das Werk von Jean Colombe, der am Ende des 15. Jahrhunderts am Hof von Savoyen gelebt hat. Man kann daher annehmen, dass es sich hier um eine stilisierte savoyische Landschaft handelt: ein Schloss und ein Dorf ducken sich an einem Berg; ein Fluss schlängelt sich durch blaue Berge.

Die Miniatur stellt eine häufig vorkommende Szene des ländlichen Lebens dar: die Eichelmast. Eine Herde Schweine weidet in einem Eichenwald, zweifellos ein Wald, der der Dorfgemeinschaft gehört. Einer der Schweinehirten ist dabei, mit seinem Stock Eicheln herunterzuschlagen, die die Schweine fressen werden. Ein großer Hund bewacht die Tiere.

Der verlorene Sohn aus dem Gleichnis des heiligen Lukas, den das zügellose Leben ins Elend gestürzt hat, ist dazu erniedrigt, Schweine zu hüten, bis er sich schließlich entscheidet, zu seinem Vater zurückzukehren. Diese Szene wurde sehr oft dargestellt: im Theater, wie zum Beispiel im Stück des *Courtois d'Arras* (13. Jahrhundert), wie in den Glasfenstern der Kathedralen von Auxerre, Bourges, Chartres, Poitiers, Sens und Troyes und auf Wandteppichen.

A Die Tympana der Miniaturen der zwölf Monate sind von den Brüdern von Limburg gemalt worden. Der erste Halbkreis beinhaltet einen Mann, der in einem von zwei Pferden gezogenen Wagen sitzt und eine strahlende Sonne trägt. Der zweite Halbkreis stellt die Tierkreiszeichen des Novembers dar: Skorpion und Schütze.

Nachfolgende Doppelseite:

Die Schweine haben trotz ihrer negativen Symbolik (Schmutz und Obszönität eines Geschöpfes, das sich im Schlamm suhlt und unfähig ist sich zu erheben) einen Platz in den *Très Riches Heures* gefunden. Aber sie gehörten zum alltäglichen Leben und stellten einen wichtigen Bestandteil der Ernährung dar. Über Jahrhunderte hinweg hat das Schwein als Grundlage der Ernährung im ganzen christlichen Europa gedient. Jede Region hatte ihre Art des Kochens, der Zubereitung und der Haltbarmachung. Hier salzte man das Schweinefleisch ein und bewahrte den größten Teil davon in Pökelfässern auf; dort ließ man die Stücke im Fett kochen: das war das „Confit", so wie man es heute noch im Südwesten von Frankreich zubereitet. Die rohen und gesalzenen Schinken wurden bald im Kamin geräuchert, bald an der Luft getrocknet, an Holzbalken an der Decke aufgehängt, und dann unter der Asche aufbewahrt.

Der Bauer von Jean Colombe ist grob und brutal im Unterschied zu denen des vorherigen Zeitabschnitts. Aber goldenes Licht bescheint sein rosa Gewand.

A

A

A

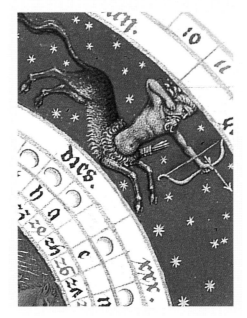

Diese Miniatur, die an eine Zeichnung von Giovannino dei Grassi (Bibliothek von Bergamo) erinnert, ist zweifelsohne das Werk eines unbekannten Künstlers aus den Jahren zwischen 1438 und 1442.

Hinter dem dichten Wald, der sein Laub behalten hat und der einer der liebsten Aufenthaltsorte der Könige von Frankreich war (Saint-Louis hielt Gericht unter einer Eiche), erheben sich die viereckigen Türme und der Bergfried des Schlosses von Vincennes, dessen Bau durch den König Karl V. beendet wurde. Letzterer lagerte dort einen Teil seiner Schätze. Er hatte verstanden, dass das Prestige der Krone sich an der Pracht der Gebäude maß, in denen die königliche Macht ausgeübt wurde. Im 14. Jahrhundert rivalisierten die Erbauer von Schlössern. Die Höhe der Mauern und die Form des Bergfrieds zeugten genauso von der Macht ihres Herrn wie die Schätze, die dort aufbewahrt wurden.

Dieses Schloss, in dem Karl VII. zu residieren liebte und das die Reihe der zwölf Monate beschließt, symbolisiert die physische und moralische Kraft. Dieselbe Symbolik findet sich im Stundenbuch der *Heures d'Etienne Chevalier* in der Miniatur von Jean Fouquet gegen 1455 wieder, in der er der Szene von Hiob auf seinem Misthaufen denselben Rahmen gab.

Der Künstler hat das Ende einer Hetzjagd dargestellt: das Halali, das ein Jägermeister auf seinem Horn bläst, um das Ende der Wildschweinjagd anzukündigen. Da die Suche nach dem Wildschwein weniger komplex war als die Hirschjagd, zog man vor allem den Moment der Tötung in die Länge. Es war eine Winterjagd. Man benutzte den Spieß und das Schwert um das Tier zu erlegen. Im Vergleich zur Beizjagd, bot die Hetzjagd ein sportlicheres Vergnügen, das brutaler und gefährlicher war. Sie war für die Aristokratie eine Manifestation ihrer kriegerischen Stärke.

Die Hunde gehen auf das Wildschwein los, das damals ein gefürchtetes Tier war und dessen Fleisch man schätzte.

72

Der Bergfried wird als Herz des Schlosses angesehen: einen Gast dorthin zu führen, bedeutete ihm Vertrauen und Freundschaft zu erweisen, ebenso wie seine eigene Macht zu demonstrieren. Dort war es, wo man die Waffen der Pariser einschloss, als man sie konfiszierte. Der Bergfried verliert zwar seine militärische Wirksamkeit, behält aber einen symbolischen Wert.

A

Der Jäger sollte die Hunde pflegen, die Hundezwinger in Ordnung halten, die Netze herstellen, die Spuren des Hirsches finden und ihn aufstöbern, rufen und das Horn blasen. In seinem *Buch über die Jagd* spricht Gaston Fébus ausführlich über die Ausbildung des Hetzjägers. Ein Herr sollte ihm vom Alter von sieben Jahren an, mit allen Mitteln, die körperliche Züchtigung inbegriffen, beibringen, die Hunde zu lieben und zu pflegen. Der Junge wird nacheinander Hundeknecht, dann mit ungefähr zwanzig Jahren Gehilfe; schließlich wird er Jägermeister, der ein Horn, ein Messer und oftmals einen Stock trägt, um die Zweige auseinanderzuschieben. Er ist die Schlüsselperson der Hetzjagd, und seine ganze Existenz ist seinem Beruf gewidmet.

B

Nachfolgende Doppelseite:
In seinem *Buch der Jagd* (1387-1391) unterscheidet Gaston Fébus fünf Rassen von Jagdhunden: *Alant, Windhund, Hetzhund, Vogelhund* und *Hofhund.* Außer dem Windhund sind es schwere, langsame Hunde. Man wählte die stärksten und wildesten Hunde aus, um Bären, Wölfe und Wildschweine zu jagen. Der Prinz setzt den Windhund an die Spitze wegen seiner ästhetischen Qualitäten und seiner Geselligkeit, dann folgen die Hetzhunde, die den Grundstock der Meuten bilden.

A

B

Diese Miniatur, die man in keinem anderen Stundenbuch findet, ist unter mehreren Gesichtspunkten außergewöhnlich. Höher und breiter als die anderen Miniaturen des Kalenders, stellt sie eine Bildtafel dar, die zweifelsohne auf ein separates Papier gemalt und später, wie sieben andere Miniaturen, in das Buch eingefügt wurde. Im übrigen ist sie durch italienische Motive inspiriert. Sie wurde zwischen 1410 und 1416 von einem der Brüder von Limburg für den Herzog von Berry gemalt, dessen Wappen (drei goldene Lilien auf blauem Grund mit einem gebogenen Rand) man rechts und links über der Miniatur erkennt. Das Monogramm VE, beiderseits unten, stünde für den ersten und den letzten Buchstaben des Namens der Dame des Herzogs, die sich Ursine nannte.

Die Miniatur drückt den Geschmack der Zeit und vor allem den Karls V. und seiner Brüder für die Astrologie aus sowie den Glauben an den Einfluss der Sterne über den Menschen. Jean de Berry besaß ein *Livre de divination (Buch der Wahrsagekunst)* und eine astrologische Abhandlung: *Des sept planètes (Von den sieben Planeten)*. Wenn es im Mittelalter auch Darstellungen des anatomischen Menschen gab, in denen die Körperteile mit den Tierkreiszeichen in Verbindung stehen, so besitzt diese Miniatur die Besonderheit, dass der Körper zu zwei Figuren verdoppelt ist, die Rücken an Rücken dargestellt sind: die eine, von vorne gesehen, blond, stellt den weiblichen Charakter dar, und sie hat alles einer antiken Grazie; die andere, von hinten gesehen, braunhaarig, ist der männliche Charakter. Diese Körper drücken die Freude aus, frei im Leben zu sein und sich an dieser Freiheit zu erfreuen. Auf der weiblichen Figur findet man, von oben auf dem Kopf bis hinunter zu den Füßen, die zwölf Tierkreiszeichen dargestellt; jedes an dem Ort, an dem man glaubt, dass es Einfluss auf den menschlichen Körper ausübt: Widder, Stier, Zwillinge, Krebs, Löwe, Jungfrau, Waage, Skorpion, Schütze, Steinbock, Wassermann, Fische. Dieselben Zeichen sind noch einmal mit den dazugehörigen Monaten in einer Mandorla (ovaler Rahmen in Form einer Mandel) um den doppelten Körper herum angeordnet. In den vier Ecken stehen die lateinischen Kommentare, die es ermöglichen die Zeichen zu interpretieren. Oben links: *Aries. lec. sagittarius. sunt calida et sicca collerica masculina. orientalia.* „Widder, Löwe, Schütze sind heiß und trocken, cholerisch, männlich, orientalisch." Oben rechts: *Taurus. virgo. capricornus. sunt frigida et sicca melancolica feminina. occidentalia.* „Stier, Jungfrau, Steinbock sind kalt und trocken, melancholisch, weiblich, okzidentalisch." Unten links: *Gemini. aquarius. libra sunt calida et humida masculina sanguinea. meridionalia.* „Zwillinge, Wassermann, Waage sind heiß und feucht, männlich, sanguinisch, meridional." Unten rechts: *Cancer. scorpius. pisces. sunt frigida et humida flemmatica feminina. septentrionalia.* „Krebs, Skorpion, Fische sind kalt und feucht, phlegmatisch, weiblich, septentrional."

76

. A N M E R K U N G E N
Z U R   E I N L E I T U N G .

Révolution cabochienne *(Seite 4)*: Unter Karl IV., genannt der Verrückte (1368-1422), ist Frankreich in zwei Lager zwischen den Anhängern der Burgunder und denen der Armagnacs aufgeteilt. Paris steht auf burgundischer Seite, die Armagnacs werden vertrieben und enteignet. Im Jahr 1413 zwingt in Paris ein Zunftaufstand unter Führung des Abdeckers Caboche den König zum Erlass der *Ordonnance Cabochienne*, die wichtige Reformen beinhaltet. Dennoch errichten die *Cabochiens* eine Terrorherrschaft, die zu ihrem Sturz führt, als der königliche Advokat Jouvenel Großbürgertum und Universität zum Widerstand vereinigen kann. Jean sans Peur muss Paris aufgeben, das sich den Armagnacs öffnet. Die *Ordonnance Cabochienne* wird sogleich aufgehoben. (Frankreich-PLOETZ)

Stundengebete *(Seite 5)*: oder Brevier (Breviarium) aus dem Gebetsgottesdienst der urchristlichen Gemeinde entstandenes tägliches Gebet, zu dem Geistliche und Ordensleute verpflichtet sind, gegliedert in 8 Tageszeiten: Matutin, Laudes, Prim, Terz, Sext, Non, Vesper, Komplet; aufgebaut aus Psalmen, Hymnen, Gebeten und Lesungen aus der Bibel und den Kirchenvätern (Duden-Enzyklopedie) *Anmerkung: der Autor spricht von 7 Stundengebeten des Tages, da das Nachtgebet Matutin (auch Vigil oder Nocturne genannt) getrennt gezählt wurde.*

Parement de Narbonne *(Seite 5)*: „Schmuck von Narbonne" – *Parement (frz.)* bezeichnet jede Art von Schmuck, die an der Stirnseite des Altars angebracht ist, um sie zu verdecken oder zu schmücken. Das *Parement de Narbonne*, das im Louvre aufbewahrt wird, ist ein großes Rechteck aus weißer Seide, die grau bemalt ist. Dieses Kunstwerk, da die Passion Christi darstellt, ist in schwarz-weißer Harmonie gehalten, das es den Altar zur Fastenzeit schmücken sollte. Es wurde von König Karl V., genannt dem Weisen (1337-1380), an seine Gemahlin Johanna von Bourbon übergeben. Sie sind kniend in den unteren Ecken des Altarschmuckes dargestellt. (Enzyclopedia Universalis)

Goldene Zahl *(Seite 7)*: in der Architektur soll die goldene Zahl einer Proportion entsprechen, die als besonders ästhetisch gilt. Sie entspricht der Zahl $\frac{1 + \sqrt{5}}{2}$, das heißt ungefähr 1,618.

In der Astronomie bezeichnet die goldene Zahl die Stellung eines beliebigen Jahres im Zeitraum von 19 Jahren des Zyklus von Meton von Athen. Dies ist der Zeitraum, nach dem der Mond seinen Lauf mit der Sonne wieder gleich (bis auf eine Stunde und einige Minuten) aufnimmt. Die Griechen schrieben diese Zahl in goldenen Lettern auf ihre Tempel, was den Ursprung dieser Bezeichnung erklärt.

Zelter *(Seite 46)*: auf Passgang dressiertes Reitpferd für Damen

. B I L D N A C H W E I S .

ROGER VIOLLET, PARIS:

der Monat April
der Monat Mai
der Monat Juli
der Monat September
der Monat Oktober
der Monat November

AKG, BERLIN:

der Monat Januar
der Monat Februar
der Monat März
der Monat August
der Monat Dezember

ARTEPHOT, PARIS:

der Monat Juni
der Anatomische Mensch

Graphische Konzeption: Alessandra Scarpa.

Aus den Französischen übersetzt von Monika Zeutschel.

Die Originalausgabe erschien unter dem Titel
Les Très Riches Heures du Duc de Berry
1995 im Verlag Bibliothèque de l'Image, Paris.

Weltrechte: © Bibliothèque de l'Image, Paris 1995.
Sonderausgabe 2003.
Parkland Verlag, Köln.
ISBN: 3-89340-032-x
Printed in Italy